DE KOE DIE IN HET WATER VIEL

Geïllustreerd door PETER SPIER   Tekst van PHYLLIS KRASILOVSKY

VAN HOLKEMA & WARENDORF

Hendrika was een koe die niet gelukkig was. Ze woonde op een boerderij.

De hele zomer door at ze gras.

De hele winter lang at ze hooi.

De hele winter en zomer deed ze niets anders dan eten.

En al haar melk was voor boer Hofstra. Boer Hofstra vond haar een beste koe, omdat ze zulke fijne romige melk gaf.

„Eet maar, Hendrika," zei hij vaak. „Hoe meer je eet, hoe meer romige melk ik van je krijg." Hendrika hield veel van boer Hofstra en daarom at ze nog meer om hem plezier te doen. Maar ze voelde zich toch ongelukkig.

Langs de wei liep een weg. Elke dag kwam Pieter, het paard, met een kar om Hendrika's melk naar de stad te rijden. Pieter vertelde Hendrika van alles over de stad. „De straten zijn van hobbelkeien gemaakt en de huizen staan vlak naast elkaar. Alle mensen rijden er op fietsen," zei hij.

Hendrika wilde al die wonderlijke dingen wel eens zien waar Pieter over vertelde. Ze had er genoeg van om altijd naar boer Hofstra's huis te kijken en naar de schuur en de molen. De molen had vier wieken, die steeds maar ronddraaiden in de wind. Hendrika werd er duizelig van.

Aan het eind van de wei was een vaart. 's Zomers kwam een man met een schip door de vaart om boer Hofstra's kaas naar de markt te brengen. Hendrika hield van boten. Wat zou het heerlijk zijn om een tochtje in een boot naar de markt te maken, dacht ze. Pieter zei dat de kaasboeren gekleurde strohoeden droegen met linten. Hendrika dacht dat zo'n gekleurde hoed wel erg lekker zou zijn!

Die arme, ongelukkige Hendrika! Zij verlangde er naar iets meer te zien dan alleen de boerderij, de schuur en de molen. In plaats daarvan moest ze maar eten, eten en eten. En ze werd dik en toen nog dikker en toen heel, heel, heel erg dik! Ze werd zo dik, dat ze zich haast niet meer kon bewegen. Ze werd zo dik, dat ze haast niet meer uit haar ogen kon zien!

Op een goede dag ging ze heel ver de wei in. Ze keek niet naar links of naar rechts, want ze had alleen maar ogen voor het malse gras en toen.... voor ze het wist VIEL ZE IN DE VAART!

De vaart was niet diep, maar wel diep genoeg voor Hendrika om helemaal nat te worden. Ze was te dik om er uit te klimmen. Daarom bleef ze maar in het water staan en at het gras langs de kant. Boer Hofstra wist niet dat Hendrika in het water lag, omdat hij bezig was met zijn kaas die naar de markt moest.

Hendrika stond al een hele tijd in het water. Ze at zoveel gras dat ze slaperig begon te worden; maar ze kon toch niet in het water slapen! Kon ze maar in de wei terugkomen, want het was voorjaar en er waren zoveel bloemen om te eten! Ze stapte door langs de kant van de vaart en at gras, toen ze plotseling . . . .

tegen een vierkante bak aan liep, die in het water dreef; het was een oude
mestbak. Ze duwde en duwde en toen.... viel ze in de bak, die meteen van
de kant wegdreef. HENDRIKA DOBBERDE DE VAART AF!

Ze dreef langs de wei, langs de schuur, het huis en de molen. Toen voorbij
de schuur en het huis en de molen van de buurman.

En toen langs nog veel meer boerderijen en schuren en molens! Nu was Hendrika niet te slaperig om haar ogen open te houden. Er was zoveel te zien aan beide kanten van de vaart!

Toen kwam Hendrika langs een rij huizen die vlak naast elkaar stonden en zij zag kinderen op fietsen rijden. ,,Kijk, een koe in de vaart!'' riepen ze en volgden Hendrika op haar weg.

Nog meer huizen voer ze voorbij. Vrouwen stonden hun ramen te lappen en hun stoepen te schrobben. Ze lachten toen ze Hendrika voorbij zagen drijven. Ze liepen ook langs de kant mee, lachend en roepend.

Al gauw was er een hele troep mensen, die hollend, lopend of rijdend langs de kant de drijvende koe volgde.

Hendrika genoot van alle aandacht die ze kreeg. Ze loeide van plezier.

Plotseling stopte de mestbak en twee jongens trokken Hendrika aan een touw op de kant, maar ze rukte zich los en rende de straat op.

Het was moeilijk op de hobbelkeien vooruit te komen, maar Hendrika genoot toch van de stad.

Steeds verder rende ze door de straten, met allemaal mensen achter zich aan.

Ze keek naar de etalages

en stapte door de tuintjes.

Ze snuffelde aan de fietsen.

Er was zoveel te zien!

Juist toen Hendrika een beetje moe begon te worden, kwam ze aan een groot plein. Hier waren een heleboel mensen.

Er waren mannen, die gekleurde strooien hoeden met linten droegen. Ook waren er hoge stapels ronde kazen.

De markt was precies zoals Pieter het haar had verteld.

En de groene hoed van stro smaakte net zo lekker als ze gedacht had!

Boer Hofstra was daar ook om zijn kazen te verkopen. „Hendrika!" riep hij,
toen hij haar zag. „Ik dacht dat je thuis in de wei aan het grazen was en niet
hier om hoeden op te eten! Een hoed is om op te zetten."

Hij was zo verbaasd, dat iedereen om hem lachte.

Boer Hofstra duwde Hendrika in Pieters kar

en reed naar huis.

Na die dag ging boer Hofstra altijd even kijken of Hendrika wel veilig in de wei stond. Maar Hendrika dacht er niet aan om weg te lopen.